COMMENT RÉUSSIR

UN BON PETIT COUSCOUS

Du même auteur

Djurdjurassique Bled, texte de spectacle, Jean-Claude Lattès, 1999.

Rue des petites daurades, roman, Jean-Claude Lattès, 2001.

C'est à Alger, nouvelles, Jean-Claude Lattès, 2002.

www.editions-jclattes.fr

Fellag

COMMENT RÉUSSIR UN BON PETIT COUSCOUS

Suivi de

MANUEL BREF ET CIRCONCIS DES RELATIONS FRANCO-ALGÉRIENNES

JC Lattès

ISBN : 978-2-7096-2323-0

à ma mère
et à Madame Brody

J'ai récemment lu dans un magazine très sérieux un sondage qui affirme que le couscous est aujourd'hui le plat préféré des Français. Vous imaginez ma joie et ma fierté en apprenant que le peuple qui a porté au sommet de ses possibilités l'art et le raffinement du bien-manger, mettait en tête de son panthéon culinaire « La » création de mes ancêtres maghrébins ? Derrière ce compliment exceptionnel à notre plat national se cacherait-il une déclaration d'amour ? N'est-ce pas une manière pudique et détournée de nous dire que vous nous aimez enfin ?

Je comprends qu'il n'est pas facile

d'avouer de but en blanc ses sentiments à quelqu'un qu'on a méprisé assez long-temps. Vous nous envoyez alors un message subliminal à travers le couscous qui représente à vos yeux le fondement même de notre identité, puisque selon le parler populaire, le Maghrébin est un Couscous, tout comme l'Anglais est un Rosbif, l'Italien un Macaroni.

Pour aimer, il faut connaître. À présent que vous nous connaissez, vous êtes passé à l'étape suivante. Et quoi de plus approprié que le convivial couscous pour se laisser aller aux épanchements affectifs ? Quand vous êtes une majorité à déclarer, on aime le couscous, nous devinons que le compliment s'adresse à nous. Nous sommes issus d'une culture où la parabole et la métaphore sont des modes de communication naturels. Message reçu. Nous savons décoder. Merci ! J'en profite pour lancer un appel à la minorité de

Français encore hésitants, et aux abstentionnistes. Faites un effort ! Vous avez tout à y gagner. Le fait d'accepter que nous faisons désormais partie de votre environnement social et culturel va vous rasséréner, vous faire du bien. Vous aurez moins d'ulcères. En nous intégrant, vous nous oublierez ! Nous réfléchirons ensemble à un nouveau projet de société. Vous nous avez enseigné la modernité, la république, la laïcité. On vous enseignera les fondements du *mektoub*, la philosophie qui permet de tout relativiser. On vous montrera les attitudes à adopter pour rester zen face à n'importe quelle catastrophe. Si, par malheur, un satellite tombe sur votre maison, si l'usine qui vous emploie ferme ou délocalise, il vous suffira de dire *mektoub*, c'est écrit, avec un coup d'œil complice vers le ciel, accompagné d'un zeste de fatalité joyeuse dans la voix, et tout ira mieux.

On vous apprendra aussi comment vous prémunir contre les effets néfastes du réchauffement de la planète. Nous, l'effet de serre, on connaît ! Le maghreb est un vaste laboratoire des conséquences de l'effet de serre et la France est aux postes avancés. Il est impératif de prendre des mesures d'urgence. Il faudra, si vous n'y voyez pas d'inconvénients, intensifier, systématiser les mariages mixtes, et, pourquoi pas, les rendre obligatoires afin de procéder à des transferts de pigmentations « phototype 4 », qui serviront de barrières contre les rayons ultra-violets B de plus en plus dévastateurs pour les peaux démunies de défenses naturelles. Il faudra également régulariser tous les clandestins et stopper les charters qui vident la France de sa matière première épidermique. À chaque fois que des maghrébins, des Africains sont renvoyés chez eux, c'est autant de Français malades qui se profilent à l'horizon. Il y va de la survie de l'espèce.

Mais revenons à nos chameaux. Toutes ces supputations autour de l'éventualité d'une affection nouvelle à notre égard est corroborée (excusez mon français colonial) par un autre sondage, selon lequel 63 % des Français déclarent que nous sommes « formidables et travailleurs », alors qu'à peu près le même pourcentage nous trouvait « insupportables et fainéants », il y a à peine quelques semaines.

Dans cette vaste enquête était également posée la question suivante : « La France et l'Algérie envisagent de signer un traité d'amitié semblable à celui qui existe entre la France et l'Allemagne. Seriez-vous favorable ou hostile à cette idée ? » Les réponses donnaient 63 % de partisans contre 27 % d'opposants et, comme d'habitude, 10 % qui ne sont pas équipés intellectuellement pour avoir une opinion.

Le jour où j'ai lu les résultats de ce sondage, j'étais si heureux que je saluai tous les Français rencontrés dans la rue afin de les remercier de ce revirement affectif. Pour reconnaître un Français, c'est facile : il fait un pas en arrière quand un Arabe se précipite vers lui, même pour l'embrasser.

Nous, les Musulmans, avons un tel sens de la communauté que nous nous sentons responsables de tout : le bon comme le mauvais. Un ami occidental m'a raconté que, le 12 septembre 2001, son épicier tunisien lui a dit, au moment où il passait à la caisse, Excusez-nous, hein ! De quoi ? Eh ben, pour les attentats d'hier. Désolé.

Alors, moi, après avoir vu ce sondage, je levais la main et la portais à mon cœur, Merci, les gars, hein ! De quoi ? Eh ben, pour le sondage. Merci !

C'est dans les années 20 que les premiers immigrés algériens ont commencé à ouvrir de petits restaurants. Célibataires par la force des choses, ils avaient appris sur le tas les rudiments d'une cuisine approximative dans des chambres d'hôtels délabrées qu'ils partageaient à plusieurs afin d'envoyer un maximum d'argent à leur famille restée au bled.

Du grain dur, une sauce épaisse rouge vif, des carottes, des navets et de gros morceaux de bœuf, de mouton ou de poulet : c'était partout la même recette. Le ciment des retrouvailles quotidiennes des ouvriers du bâtiment. Un plat solide, correct, mais aussi éloigné de l'original que les « Arabes » de leur pays. Le couscous maison est fait d'une semoule légère, aérienne. La sauce et les légumes de saison sont harmonieusement combinés et les viandes, sélectionnées dans les morceaux les plus tendres, sont imprégnées d'un savant mélange des épices les plus aristocratiques. Le bon couscous, contrairement à ce qu'on pense, ne donne pas envie de s'affaler ni de ronfler à table.

La grosse différence entre Maghrébins et Français, c'est que les premiers le cuisinent chez eux tandis que les seconds le mangent au restaurant. Or, chacun sait que la chambre aseptisée d'un hôtel de luxe ne peut pas rivaliser avec le charme brut de la nuit chez l'habitant. C'est pourquoi, même s'il tient la première place dans l'estomac des Français, le couscous leur reste étranger. Quand ils le dégusteront dans une famille nord-africaine, ils se gaveront aussi d'odeurs, de bruits, de rires, de chants, de grandes claques sur les omoplates, et de discussions sans fin où les arguments des uns et des autres volent au-dessus de la table avec une élégance rare.

Et puis viendra le jour où ils se l'accapareront vraiment. Ils voudront acheter un couscoussier et des plats où ils rouleront la semoule en chantant des ritournelles folkloriques.

Ils traverseront la moitié de la ville pour aller chercher une épice essentielle. Ils mettront un *aqfal* avec un bout de chiffon entre la marmite et le couscoussier pour empêcher les déperditions de vapeur. En rentrant chez eux, ils s'arrêteront pour respirer avec volupté les effluves qui parfumeront l'escalier : Tiens, les Martineau préparent un couscous, ce soir !

Et le jour où l'un d'eux soupirera, à la vue du désert affectif qu'il s'apprête à traverser parce que sa femme vient de le quitter : Qui va me faire le couscous maintenant ? Alors on pourra dire qu'il est vraiment entré dans les mœurs.

On se fait un couscous ? Y'a un bon couscous dans mon quartier. Je connais le meilleur couscous de Paris. Le Kabyle du coin fait, paraît-il, un excellent couscous... Voilà quelques-unes des expressions qui décrivent bien sa fulgurante progression dans la culture francophone.

Mais ce plat, qui a conquis le pays de Charles Martel – prenant au passage une revanche sensuelle sur la bataille de Poitiers, qui nous est restée comme une enclume sur l'estomac durant treize siècles — n'est pas un bloc monolithique figé pour l'éternité dans une préparation unique et définitive. Au contraire, le couscous est pluriel, riche et ouvert aux vents de toutes les influences.

Pour éviter de donner des statistiques erronées, je dirai qu'il y a autant de couscous que de mères. Et le meilleur du monde est toujours celui de sa propre maman, puisque ce mets est un creuset d'affection maternelle.

La semoule est traditionnellement roulée à la main, exclusivement par des femmes. Si un homme se livre à cette activité, il n'est généralement plus considéré comme tel. Assises par terre, les femmes officient dans de grands plats en bois, en terre ou en aluminium qu'elles tiennent solidement serrés entre leurs jambes pour les stabiliser. Elles roulent, tout en arrosant d'eau par intermittence pour obtenir des grumeaux qui, à force d'être pétris, deviennent de fins petits grains. Comme Carmen roule des cigares sur sa cuisse en chantant Carmen de Bizet, les rouleuses de semoule chantent, rient, bavardent et se racontent des histoires polissonnes qui moquent les hommes, s'amusant à tisser des revanches imaginaires qui leur mettent du baume au cœur, jusqu'à ce que l'imposante moustache patriarcale fasse son entrée et remette de l'ordre dans cette récréation quotidienne. Elles inventent aussi de mignons petits poèmes chargés d'allusions sexuelles qui portent à peine le voile.

Si vous n'avez pas de gynécée pour la fabrication artisanale du grain, vous pouvez acheter du couscous industriel. Il y en a d'assez bonne qualité, mais il manquera bien évidemment sur chaque grain les caresses des mains expertes, les chants nostalgiques et la sagesse de femmes si jeunes mais déjà revenues de tout. Car ce sont les jeunes filles qui s'occupent de cette tâche ingrate, les femmes mûres gérant le travail intellectuel qui consiste à diriger les opérations. Privilège acquis, l'âge aidant, au fur et à mesure qu'elles perdaient les attributs visibles de la féminité.

Ceux qui ne veulent pas se contenter de ce grain d'usine basique peuvent aller au Maghreb et épouser quatre femmes. Le problème c'est de leur faire passer la douane française et de les régulariser, ce qui, avec les nouvelles lois, est devenu un vrai parcours du combattant.

Pour les puristes qui ne trouvent leur bonheur que dans le grain authentique, il y a plus simple : Barbès, Belleville ou autre marché d'Aligre. C'est la réplique exacte du couscous traditionnel, sans la lumière qui scintille dans la mémoire enfouie des épis.

Le grain industriel se vend dans n'importe quel espace commercial, mais on peut aussi l'acheter dans sa rue, chez « l'Arabe » du coin, qui est le plus souvent un Berbère marocain. Il n'a rien contre les Arabes, bien au contraire, mais ça le fait chier qu'on l'appelle par quelque chose qu'il n'est pas et il considère que c'est une grave atteinte à son intégrité identitaire. Il ne dit rien parce qu'il respecte la France et ses lois, ainsi que l'ignorance et la légèreté de ses habitants.

Une fois que vous êtes chez « l'Arabe » du coin, donc, traversez les rayons fourre-tout, en marchant de côté comme un crabe, pinces bien allongées pour éviter de renverser les cartons de lessive, les boîtes de sauce tomate posées en équilibre sur le bord des étagères et les bouteilles de gazouze entravant l'étroit couloir qui mène à l'étagère sur laquelle est rangée la précieuse denrée. Prenez la première marque de semoule que vous voyez car c'est... la seule ! Exactement la même que chez Leader Price, mais deux fois plus chère. Car « l'Arabe » sait que vous ne venez chez lui qu'aux heures où il y a embargo alimentaire ailleurs et qu'il reste la seule oasis où vous pouvez vous ravitailler. Lors des grandes fêtes, l'épicier maghrébin se transforme en centre international d'aide alimentaire... payant. Une ONG de luxe.

Vérifiez quand même attentivement la date de péremption. Un jour, un ami a acheté une boîte de cassoulet sur laquelle il avait cru déchiffrer : *à consommer avant le 30/10/93*. À l'ouverture, il y a trouvé trois tortues Ninjas qui s'étripaient pour le dernier haricot ! En y regardant de plus près, il s'est rendu compte de son erreur. Il s'agissait du 30/10/63 ! À force d'être retourné dans tous les sens, le 9 avait fini par se retrouver la tête en bas.

Vous remarquerez que les angles de la boutique sont truffés de miroirs déformants dans lesquels vous vous voyez tout petit avec un gros nez ridicule. Il y en a même un qui est orienté vers le rayon fruits et légumes situé à l'extérieur, afin de capter le quidam qui se sert une pomme, mine de rien, en passant. Modernité oblige, certains se sont équipés de caméras vidéo qui vous donnent l'illusion de passer à la télé pendant que vous faites vos courses.

Quand vous arrivez à la caisse, soyez patient si l'épicier palabre au téléphone avec un vague cousin d'Agadir qui projette de se marier l'été suivant et lui demande une aide financière. S'il devient tout rouge, gesticule, transpire et crache des sons bizarres en vous fixant droit dans les yeux, n'ayez pas peur. Primo : pendant qu'il vous fixe, il ne vous regarde pas. Il prend juste appui sur vos yeux pour se projeter jusqu'à son village natal et dire à son cousin ce qu'il pense. Secundo : les mots rugueux, acérés et remplis d'âpres consonnes qu'il mâchonne dans sa bouche avant de les envoyer dans le combiné ne sont pas des insultes. C'est du berbère.

Il jure que, depuis trois jours, il n'a vendu qu'un misérable pot de harissa et que le premier client qu'il voit depuis la veille, c'est un « infidèle » qui se tient devant lui, en ce moment même, comme un dadais, un paquet de couscous à la main, attendant qu'il ait fini de télépho-ner pour encaisser... « Mais, *par Allah !* je le laisse mariner, le mécréant. Ils sont res-tés plus d'un siècle chez nous ; il peut bien attendre cinq minutes ! »

Il y a autant de couscous que de régions. Sa préparation varie en fonction du climat, du type de céréale, des légumes qui y poussent, des animaux qui y brou-tent et des habitudes culturelles. On peut dire, pour simplifier, qu'il en existe trois grandes variétés qui épousent les couleurs des trois grands ensembles géopolitiques de la région : le Maroc, l'Algérie et la Tunisie.

Dans cette étude, nous ferons, abstraction de la Mauritanie et de la Libye qui se sont arrimées au Maghreb politique pour des raisons que le couscous ignore.

Au Maroc, le couscous le plus renommé est le couscous royal. Pour le préparer, il faut : un roi, une reine, des princes, des princesses, et un palais qu'on appelle généralement par commodité le palais royal.

Le véritable couscous royal, qu'il ne faut pas confondre avec celui qu'on sert dans les restaurants de France – qui n'a de royal que le nom – est fait avec une variété rare de céréale obtenue par un savant croisement de *Cerealus razibus* et de *Cerealus mordicus*, bouturée avec une variété de l'antique Phénicie dont le secret se transmet de génération de jardinier de monarque en génération de jardinier de monarque. Elle est cultivée dans un périmètre hautement surveillé des hauts plateaux situé dans le centre du pays, où des familles de paysans rattachées au département agricole de l'intendance générale du palais travaillent depuis des siècles à sa culture.

Une fois moissonnées, ces précieuses graminées sont transportées sous bonne escorte dans un emplacement secret où les silos sont gardés par des mamelouks qu'on castre juste avant la puberté afin d'éviter toute confusion dans les semences.

L'intendant régional répartit la production en fonction de sa destination. Le grain destiné au palais est broyé dans un moulin à vent spécial, équipé de deux énormes plates-formes en marbre de Carrare, taillées par les membres de la famille Almandro, fournisseurs attitrés de l'Église Catholique Romaine depuis le haut Moyen Âge, élevés au rang de la noblesse par Clément VII, pape du festival d'Avignon.

Cent bourriquots, deux cents nains du Sud, cent cinquante hommes en pleine possession de leurs facultés mentales et vingt vieillards à la valeur symbolique font tourner la meule nuit et jour.

Devant cette noria, cinq cents femmes de sexe masculin, tatouées et peintes de henné, chantent des louanges rythmées de tambours, flûtes et violons, qui remercient le Ciel d'avoir été clément pour Sa majesté, que son règne – *Inch' Allah* – s'allonge indéfiniment.

La semoule brune ainsi obtenue est acheminée vers un village de haute montagne où elle sera roulée par cent mains de vierges choisies parmi les plus belles filles du royaume. L'opération terminée, les nubiles offriront leur hymen intact au roi et embrasseront le Coran en jurant que, désormais, cet endroit ne sera jamais plus visité par de simples mortels, puisque « ce que notre seigneur et maître a inauguré devient automatiquement sacré ». Les enfants du paradis engendrés durant ces unions passagères et symboliques appartiendront à l'intendance générale et seront affectés toute leur vie durant au service de la semoule royale.

Dans le faux couscous royal parisien, on allèche le client partisan de l'approfondissement des relations franco-maghrébines ou désireux d'explorer l'univers de la magie orientale... À ce propos, permettez-moi une de ces petites digressions dont je vous sais friand, même si je me suis retenu d'en user jusqu'à présent, afin d'éviter une trop grande déperdition narrative. Les Maghrébins n'aiment pas qu'on les traite d'Orientaux. Et pour cause ! Les premiers vrais Occidentaux, c'est nous ! En arabe, le mot *Maghreb* signifie « Occident ». *Maghreb*, Occident – Maghrébin, Occidental ! Alors que Français ne veut dire que Français.

C'est comme ce que vous appelez la danse orientale. Chez nous, on dit la danse du ventre. Géographiquement, c'est vachement plus précis.

Dans le faux couscous royal parisien donc, on allèche le client avec une cuisse de poulet nourri aux hormones de croissance qui envoient généralement le cycliste en prison. Là, vous avez le cycliste dans l'assiette qui pédale dans la semoule. Juste à côté de lui trottine un morceau de tremblante de mouton britannique que

vous n'arrivez pas à attraper avec la four-
chette. Pour le coincer, il faut le surprendre au moment où il ne s'y attend
pas. Faites semblant de parler avec votre
voisin de table du troisième chapitre de
La critique de la raison pure, en soutenant
qu'il aurait dû précéder le second, tout en
ayant un œil sur les mouvements de la
bête. Au moment où sa vigilance se
relâche, sautez dessus et coincez-le dans
un renfoncement du vestiaire pour l'empêcher de s'échapper du restaurant, ce qui
rendrait la poursuite encore plus
compliquée.

La tremblante de mouton gagne en
intensité à mesure qu'on approche de
l'Aïd-el-Kébir. Et, pour la dernière fois, je
dis aux Français : arrêtez d'appeler cette
commémoration rituelle du sacrifice
d'Abraham « fête du mouton ». C'est la
fête des Musulmans ! Le mouton, lui,
n'est pas à la fête !

Entre le poulet et le mouton sont joliment disposées quelques saucisses grillées à point. Pour ceux qui l'ignorent encore, je tiens à préciser que la merguez, à l'instar du gros saucisson appelé *casher* parce qu'il est *halal,* est une invention des Juifs d'Algérie. Elle symbolise la peur ancestrale des circoncisions ratées. Ce n'est d'ailleurs pas un hasard si Freud n'est pas d'origine viking, mais d'origine contrôlée. D'où sa fameuse théorie, « *Tout vient de là* », soutenue à l'université d'Innsbruck, où il fit scandale auprès de la communauté universitaire en sortant de son cartable une saucisse séfarade, qui lui avait été envoyée de Tlemcen par son ami le rabbin Bénichou pour lui permettre d'étayer sa démonstration.

Nous partageons cette phobie avec les Juifs, au point de pouvoir dire qu'en dehors du lointain cousinage nous sommes surtout unis par « le complexe de la merguez ». Et c'est bien dommage que le problème palestinien qui empoisonne les relations de cause à effet ne soit pas encore réglé, car les Palestiniens eux aussi ont le droit de vivre le complexe de la merguez dans de bonnes conditions psychologiques.

Dans les temps anciens, bien avant Hiroshima et Nagasaki, la couche d'ozone, le napalm, la sécheresse, El Nino, Tchernobyl, et les princes des Émirats qui la chassent à la mitrailleuse, la viande qui accompagnait tout vrai couscous royal digne de ce nom était la viande de gazelle.

D'après le Petit Larousse, la gazelle – de l'arabe *rhazal* – est un bovidé. C'est une petite antilope très rapide, aux cornes en forme de lyre, vivant dans les steppes d'Afrique et d'Asie occidentale. Aujourd-d'hui encore, on peut voir des *rhzalates* telles qu'elles étaient peintes jadis sur les parois des grottes du *Tassili* par nos ancêtres.

Si la promenade vous tente, faites vite. Quelques agences de voyages organisent encore des randonnées une ou deux fois par an, mais elles sont de moins en moins nombreuses. Au début, il y avait beaucoup de touristes mais, chaque fois, la moitié d'entre eux se perdaient dans le désert et mouraient de soif ; certains plongeaient dans le mysticisme, d'autres devenaient fous, épousaient des chèvres et s'installaient définitivement là-bas. Ça les changeait du métro, disaient-ils dans leurs lettres ou dans les hiéroglyphes qu'ils gravaient sur des cailloux quand ils étaient à court de papier hygiénique.

Dans l'imaginaire des peuplades des steppes, la gazelle représente la beauté absolue. Pendant les longues nuits de bivouac, les nomades racontent qu'il y a des siècles, une très belle jeune fille nommée Rhazal s'obstinait à refuser les avances de Djaffar, un petit chef de tribu moche comme un pou. Cet homme adipeux, d'une méchanceté inouïe, avait juré que, si ses parents ne lui donnaient pas leur fille en mariage, il brûlerait la moitié du pays, violerait sa propre mère et tuerait son propre père, ou l'inverse selon son humeur, ce qui jetterait la malédiction sur l'ensemble de la tribu pour l'éternité. On avait beau essayer de convaincre Rhazal de se sacrifier pour échapper au malheur, cette dernière tenait bon car elle détestait Djaffar et le trouvait aussi amer que *Zeqoum*, l'arbre qui pousse en enfer.

Un soir, le diable vint souffler à l'oreille du roitelet que, s'il acceptait de signer un contrat par lequel il s'engageait à devenir son agent pour la contrée, il transformerait à jamais la jeune fille en animal. Djaffar lui demanda s'il n'était pas plutôt possible de s'arranger pour que Rhazal tombe amoureuse de lui, parce qu'il n'était pas zoophile.

Le diable partit d'un rire fou et lui répondit qu'il pouvait tout faire, hormis changer le cœur d'une jeune fille. Le tyran, abattu, alla pleurer sept jours et sept nuits en se masturbant vigoureusement sur le sommet chauve de l'Atlas qui se couvrit de neige, et revint annoncer au diable qu'il acceptait le marché.

Depuis cette triste histoire, gens du peuple, poètes, astronomes, anarchistes, caravaniers, nomades, forgerons, facteurs, clowns, gardiens de phares, alchimistes, dinandiers, philosophes et taxidermistes ne mangent pas de gazelle par fidélité à la belle Rhazal. En revanche, rois, reines, émirs, nazillons en col blanc, pasdarans, sombres vizirs, tyrannosaures, dictateurs, ploutocrates, apparatchiks, mussoliniens, acariâtres, atrabilaires, empereurs fous et autres cavaliers de l'apocalypse la traquent pour sa chair succulente et afin de venger leur ancêtre.

Quand les meutes de chiens, les hordes de cavaliers ou les fougueux 4 × 4 harcèlent l'animal dans sa course folle, le vent fait chanter sa lyre. En l'entendant, les oiseaux, les insectes, les plantes et les bergers pleurent toutes les larmes de leurs crocodiles. Chaque fois que les nantis tuent une gazelle, ils étouffent sa musique et assassinent le chant de la steppe.

Bien sûr, il existe aussi des variétés de couscous au poisson absolument succulentes. Au Maroc, il est préparé avec du dauphin. Pour obtenir un dauphin, il faut un roi, une reine...

En Algérie, le couscous au dauphin se cuisine avec du requin. Pour trouver un requin, il faut en général un général, un général, un général...

Surnommé « couscous présidentiel » jusqu'en 30 après 62, le couscous algérien a été supplanté, depuis que le pays est entré dans la cinquième dictature, par l'appellation « couscous armé ». Couscous de régime autoritaire, il est fait d'une semoule en forme de plomb, au grain plus rigide que celui des autres pays maghrébins. Sur le marché, on peut trouver à profusion du petit, du moyen et du gros calibre. Si l'on n'a pas de couscoussier pour passer la semoule à la vapeur, on peut transformer son voisin immédiat, ou n'importe quel être humain au hasard, en passoire.

Le blé, comme chacun sait, est généralement cultivé par les paysans. Mais l'Algérie ayant, dès le début de l'indépendance, opté pour l'industrialisation collectiviste, les fellahs ont été engagés dans les usines socialistes pour moudre le blé importé des pays capitalistes, *naâl waldi-houm*, que Staline les foudroie ! Les usines étaient achetées « clés en main », ce qui signifie qu'une société étrangère construisait l'usine et remettait les clés. Ensuite, on ouvrait les portes et ça marchait. Normalement...

Si l'on perdait les clés, l'usine restait fermée, car il n'y avait pas de double.

Le blé algérien pousse dans des containers qu'on décharge de grands bateaux venus de l'autre côté de la Méditerranée. Les plus grosses régions agricoles sont les ports d'Alger, Oran, Annaba, Skikda, Bougie et Constantine... Ah non ! Il n'y a pas de port à Constantine.

Nous pouvons donc affirmer que la ville de Constantine n'est pas un producteur de blé, à l'instar de Ouagadougou, qui n'est pas un port non plus, et qui de toute façon n'est pas algérienne.

Le grain algérien est fier, viril, farouche et draconien. Il ne supporte pas la critique. C'est pour ça qu'il fait le meilleur couscous du Maghreb. Quelqu'un a quelque chose à y redire ?...

La corporation de ces agriculteurs d'un type nouveau porte le nom scientifique de « Mafia politico-financière », ce qui fait moins ringard que « producteur agricole » et moins vulgaire que « fellah ».

La spécialité la plus répandue en Algérie est le couscous aux grosses légumes. L'un des dirigeants du parti unique, dans sa période de grandeur, s'appelait K. Bouya, ce qui veut dire « courge » en français. Un autre avait pour patronyme Batata, ce qui signifie « patate » en espagnol. Quand ils se téléphonaient, cela donnait : Allô ! La Courgette ? Oui ! La Patate à l'appareil !

Les secrétaires pouffaient de rire,

mais seulement une fois rentrées chez elles car, dans les bureaux, les murs ont des oreilles. Or, tout le monde sait que les murs n'ont pas d'humour et qu'être mort de rire entre quatre murs peut vite vous amener entre quatre planches.

Le dialogue le plus surréaliste eut lieu un jour entre le chef du parti et l'un de ses subordonnés : Allô ! Qui est à l'appareil ? C'est l'appareil lui-même !

Les dirigeants de ce pays, qui sont arrivés au pouvoir sans avoir eu le temps de passer par l'école, tellement ils étaient pressés, consomment du couscous à la chevrotine, servi avec de la chair à canon qu'on garde au frais dans l'obscurité des souterrains de la ville jusqu'à ce qu'elle soit bien faisandée. Quand vous arrivez en Algérie, on vous jette de la poudre de coriandre aux yeux pour vous empêcher de voir ce qui bout dans la marmite et entendre le cri gênant de la viande grillée dont la graisse huile harmonieusement les rouages des meules qui écrasent le bon grain dans un silence de mort.

Si le couscous a été inventé par les Berbères, ce sont les Pieds-noirs qui l'ont médiatisé. Tout en respectant sa composition et la préparation traditionnelle, ils lui ont ajouté un ingrédient nouveau : la tchatche. Il ne s'agit pas d'une variété de sardine ni d'une danse acrobatique, mais d'un flux incontinent de mots distillés à très grande vitesse, dans le but principal de garder la parole le plus longtemps possible, même pour dire n'importe quoi.

« Môrice, goûte-moi ça ! Ça te rappelle pas la basetta ? Allez jure ! Puréee ! Ferme les yeux... Hein, t'es pas à Babazoun, làààà ? Tu te souviens des olives, Mômô, comme des pastèques qu'elles sont, dis ! Tu presses une olive, tu as deux litres d'huile... Et quelle huile, mon ami ! Tu mets trois gouttes dans le saladier, l'odeur elle sort plus de la maison. Si tu ne supportes pas, vaut mieux déménager !... »

Avec un Pied-noir, impossible de manger le couscous tranquillement. Vous pensez profiter d'une ponctuation pour remplir la cuillère, mais lui, il ne met ni point, ni virgule.

« Mômô, Môhamed, Môrice ! Tu m'écoutes pas quand je parle, dis ! »

Il tchatche, il tchatche, il tchatche... sans jamais respirer, tellement il a peur. S'il s'arrêtait pour prendre de l'air, quelqu'un pourrait lui prendre la parole. Après, il faudrait qu'il fasse la queue devant le distributeur de tickets de conversation et qu'il attende son tour en silence pour parler à nouveau. Autant le condamner à mort !

Les « Arabes » leur ont appris la parlotte. Ils l'ont mônôpôlisée !

Les Pieds-noirs ont quand même apporté un grand plus au couscous : le vin rouge.

Avant eux, on buvait le traditionnel *leben*, le petit lait, qu'on appelle ainsi parce qu'il n'y en a pas beaucoup. C'est normal. Tout est petit en Algérie : les chèvres, les mamelles, les paturages.

Avec les Pieds-noirs, l'Algérie coloniale s'est retrouvée divisée en deux communautés : les buveurs de rouge et les buveurs de *leben*. Si ces deux boissons, diamétralement opposées, ne font pas le même effet, elles mènent toutes deux au même endroit.

Pendant les cent trente-deux ans qu'a duré leur cohabitation obligatoire, le rituel s'est répété, immuable, du solstice d'été au solstice d'hiver. Les Français, assommés par le *Mascara*, et les Arabes, ramollis par le *leben*, se dirigeaient au même moment vers l'olivier le plus proche pour y faire la sieste. Le temps qu'ils traversent la cour, le soleil leur envoyait le dessert juste derrière la nuque...

Attention ! Chez nous, la sieste, c'est une deuxième nuit. Elle commence à deux heures et se termine à six heures et demie. Avec la chaleur qu'il fait, on peut ronfler tranquille : tout dort. L'eau s'arrête de couler, les oiseaux de voler, les feuilles de bruisser, les mouches de moufter. Seules les cigales font les « trois huit », comme les immigrés chez Renault. Quand une équipe s'endort, l'autre prend la relève. Ce sont des intermittentes du spectacle.

Les seules qui ne se reposent jamais, quelles que soient les circonstances, ce sont les fourmis. De temps à autre, il y en a une qui passe sous l'aile de votre nez, vous arrachant un soupir semblable à celui que l'on pousse quand on apprend que sa femme est enceinte pour la huitième fois, ou que la belle-mère vient passer trois trimestres à la maison.

Ah, la sieste en Algérie, c'est sacré ! Même pendant la guerre, à partir de deux heures de l'après-midi, les combattants cherchaient l'ombre des oliviers ! Voilà pourquoi le conflit a duré sept ans.

D'ailleurs, puisqu'on parle de cette guerre, je crois que si pendant le siècle de cohabitation, les Français d'Algérie avaient mis du *leben* dans leur vin, on aurait *hallelisé* nos rapports et on serait peut-être aujourd'hui en train de savourer ensemble de jolies petites siestes égalitaires.

La Tunisie est considérée comme le plus primesautier des trois États maghrébins. Nonobstant, quand vous passez la frontière, les policiers vous dévisagent attentivement pour s'assurer que vous êtes bien venu vous faire tanner la peau au soleil du pays de la déesse Tanit, et qu'il n'est pas dans vos intentions de chercher des noises au grand chef cuisinier, élu président à vie par 99,64 % des grains.

Quand on voit de l'extérieur comment nos voisins accommodent leur plat national, les viandes joliment disposées, les lamelles de poivrons de toutes les couleurs, les navets, l'œuf dur et les petites herbes, on tombe aussitôt sous le charme.

Ce couscous-là, il est tellement beau qu'on dirait une carte postale. Méfiance... Vous plongez la cuillère, vous retournez la semoule pour incorporer la sauce... Et c'est le séisme ! Un volcan en éruption !

Tout est rouge sang ! La harissa coule à flots ! Ils en mettent partout.

En Tunisie, s'il n'y a pas de harissa dans le biberon, les bébés font la grève de la faim !

Le couscous tunisien est une pratique sado-masochiste. Là-bas, dans le pays d'Hannibal, quand on vous invite, c'est vous qui passez à la casserole. Ils doublent la dose de harissa, juste pour rigoler, en badigeonnent le fond de votre assiette, plongent le tube à l'intérieur du couscous comme une seringue et y injectent tout le contenu.

Au déjeuner et au dîner, on n'entend qu'un immense Haaaaaaaa ! Comme si le peuple tout entier était en train de faire l'amour et avait atteint un gigantesque orgasme national. Ou alors, on se dit que la torture vient d'être généralisée.

On a retrouvé, dans les grottes de Gafsa, en Tunisie méridionale, là où vivaient nos ancêtres les Capsiens du paléolithique final et de l'épipaléolithique, des ossements de femmes mélangés à des ossements de femmes, et des ossements d'hommes mélangés à des restes de méchoui. Les archéologues en ont déduit que les mâles consommaient de la viande et les femelles de la soupe biodégradable. Ce qui nous donne un indice sérieux concernant l'origine de la séparation des deux univers. La marginalisation du sexe faible serait due à des causes économiques, et non pas à la religion, ni à la jalousie maladive des hommes de la Méditerranée, comme on a tendance à le croire aujourd'hui. La preuve est donc faite que cet apartheid a commencé il y a très longtemps, juste après que la mer elle-même s'était retirée de nos contrées pour aller s'installer sous des cieux plus cléments.

À l'époque préhistorique, l'homme chassait et la femme cueillait. Le soir venu, ils se retrouvaient et partageaient tout. Les mâles se sont vite rendu compte que la viande de mouflon était meilleure que le chou de Bruxelles. Mais durant les longues périodes glaciaires, le gigot se faisait rare. Alors, dès le début des frimas, les mecs ordonnaient aux meufs d'aller peindre le fond de la grotte pendant qu'ils se goinfraient de viande. « Tout travail mérite salaire. Vous, les filles, vous n'avez qu'à grignoter ce que vous avez cueilli. Chacun en fonction de ses besoins, et Dieu reconnaîtra les siens ! » Quand des femelles affamées insistaient pour avoir un bout de gras, les hommes se mettaient en colère : « Vous aurez la peau de zébu ! »

Quelquefois, pris de pitié, ils leur jetaient les os et les femelles leur sautaient dessus pour les sucer. Mais en général, ils préféraient les sucer eux-mêmes.

Pendant les périodes fastes de grandes chasses à l'aurochs et au mammouth, ils leur donnaient juste de quoi éviter qu'elles ne se révoltent ou abandonnent la grotte conjugale pour suivre le premier *Homo erectus* venu.

Jusqu'à la fin du paléolithique supérieur, au moment du dépeçage des bêtes, les hommes laissaient les abats aux femmes avec une grimace de dégoût. Puis, quand ils se sont aperçus qu'une fois lavés, macérés dans des huiles et des herbes aromatiques, assaisonnés de poivre, de sel de Guérande, bardés de crépinette, enfilés dans des bâtons et passés à la braise, ces mets étaient exquis, ils ont changé leur massue d'épaule et dit à leurs épouses : « Vous en aurez seulement quand vous serez malades. »

À partir du néolithique, ils ont cessé d'être généreux. Par la force des choses, les femmes sont devenues végétariennes. Avec les framboises et les mirabelles, elles ont fait des tartes qui ressemblaient à des steaks vus de loin.

Elles ont écrasé le blé et le mil pour en faire de la farine, avec laquelle elles ont fabriqué la semoule et les pâtes. Elles ont concocté des bouillies, des soupes et des salades composées, découvert que la semoule, une fois passée à la vapeur, ramollissait et devenait beaucoup plus digeste. Elles ont peaufiné la technique, ajoutant dans l'eau de la marmite des carottes, des navets et des pois chiches, ainsi que toutes sortes d'herbes qu'elles avaient l'habitude de mâcher pour les attendrir.

Quand les hommes ont senti l'odeur de la sauce – le barbecue à tous les repas, ça commençait à bien faire ! – ils ont confié leur viande aux femmes pour la faire cuire dans la marmite, afin de parfumer le bouillon... à condition qu'elles restituent la bidoche intacte !

Les femmes ont dit d'accord ... Mais elles l'ont vite regretté et ont voulu reprendre leur parole. Trop tard, ont crié les hommes en applaudissant de joie, ce qui est dit est dit, et *halouf* qui s'en dédit ! Soumises à cette tyrannie, les femmes se sont mises à voiler leur corps pour dissimuler leur maigreur, ce qui à l'époque était très mal considéré.

Pour les sceptiques, je précise que les traces de cette incroyable odyssée sont visibles aujourd'hui encore chez les troglodytes de Matmata en Tunisie.

Maintenant que vous êtes dans le secret ethnologique et culinaire, sortez vos couscoussiers, préparez la nouba.

Sinon, allez chez Mazouz, un Algérien qui fait un couscous marocain si déli-

cieux qu'on jurerait qu'il est tunisien...
C'est le plus spirituel que je connaisse.
Dites que vous venez de ma part.

MANUEL BREF
ET CIRCONCIS
DES RELATIONS
FRANCO-ALGÉRIENNES

Nous sommes sur les hauteurs de Bab-el-Oued, tout au bout de la rue qui longe la célèbre cathédrale Notre-Dame d'Afrique, à quelques centaines de mètres du cimetière chrétien. C'est l'heure de la sieste. Il fait très, très chaud. Dans la vieille maison de deux étages, dont tous les volets sont tirés pour empêcher le soleil d'entrer, il y a des corps allongés partout. Sur les tapis élimés du salon, sur le carrelage des halls et sous la tonnelle où vivote une jeune vigne dont l'ombre couvre à peine le quart de la cour, le chardonneret dort dans sa petite cage en bois. À côté de lui, le corps du chat épouse la forme de la tuile romaine sur laquelle il s'avachit comme un chewing-gum en train de fondre au soleil. Le grand-père se réveille par intermittence et chasse d'un geste machinal les mouches qui élisent domicile sur ses yeux larmoyants. Chaque fois que claque la branche de frêne qui lui sert de chasse-mouche, le chat ouvre un œil, jette un regard panoramique vitreux sur le décor et le referme.

Sur un balcon, Zoubida étend du linge. Michel, son mari, assis sur le rebord de la balustrade, sue à grosses gouttes.

— Zoubida, crie-t-il.

— Oui ! répond-elle en chuchotant.

— Dis donc, on se croirait sur un champ de bataille. Regarde-moi ça. Waterloo, morne plaine, déclame-t-il en enfilant la main droite sous son maillot de corps. C'est une épidémie ou quoi ?

— Ça s'appelle la sieste. Chez nous, c'est sacré. Question de culture. Si tu habitais ici, tu t'y mettrais vite, toi aussi. Rien ni personne ne résiste à ce soleil de plomb. Tu devrais essayer d'aller te coucher, d'ailleurs.

— Et toi ?

— Je finis d'étendre le linge qui reste et je viens.

— Ah, quelle chaleur ! Tu as raison. Je n'aurais jamais pu imaginer que c'était comme ça. Tiens, je vais prendre une douche.

— Impossible.

— T'inquiète. Je ne ferai pas de bruit. De toute façon, pour les réveiller, il faudrait au moins les chutes du Niagara.

— Justement. On n'aura de l'eau que dans quatre-vingt-cinq heures !

— Oh, putain ! s'exclame Michel.

— Il y a des vieux bidons à huile de cinq litres remplis d'eau dans la salle de bains. Va en chercher un. Et ne gaspille pas. Tu sais qu'on est nombreux dans la maison.

— Mais elle doit être tiède.

— Et puis quoi encore ? Tu ne voudrais pas l'air conditionné non plus ? Tu n'as pas remarqué que dans « Afrique du Nord », il y a le mot « Afrique » ?

Michel se lève et pénètre dans la maison. Quelques minutes plus tard, il revient avec un jerrycan en plastique jaune. Il dévisse le bouchon, enlève son maillot, et appelle sa femme :

— Chérie !

Elle se tourne brusquement vers lui.

— Arrête de m'appeler « chérie » sans arrêt. Je t'ai déjà briefé là-dessus avant de partir.

— Oh là là ! Tiens, tu peux me verser l'eau sur la tête ? Comme ça, on ne gaspille pas.

Elle répand le précieux liquide en un mince filet qui tombe sur le cou de Michel rougi par le soleil.

— Ah la vache ! Qu'est-ce que c'est bon ! dit-il en se concentrant pour jouir au maximum de la vague sensation de fraîcheur.

— N'oublie pas de t'essuyer avant de te mettre au lit, dit Zoubida en reposant le bidon.

— M'essuyer ? Tu rigoles ? Tout s'évapore instantanément. Je me demande même comment j'arrive encore à pisser.

— Eh ! Arrête de tout critiquer. Vous l'avez bien apprécié le pays, pendant cent trente ans ! Cent trente-deux, pour être précis.

— Doucement, chérie. Moi, je n'ai rien à voir là-dedans. Je n'ai colonisé personne. De plus, je ne critique pas le pays, mais la chaleur. Je n'ai pas dit que c'était la faute des Algériens... Dis donc, depuis qu'on est arrivés, tu n'arrêtes pas de me chicaner. Tu n'es pas comme ça à Paris.

— Excuse-moi. C'est une vieille habitude d'ici. Dès qu'on est avec les Français, on est sur nos gardes. Tu comprends... On vous aime, on vous hait, on vous admire, on vous méprise...

» Vous êtes un peu notre baromètre. On a tellement peur de vous décevoir. Comme si on vous avait arraché votre jouet et qu'on voulait vous prouver que nous aussi, on sait le faire marcher. Alors, dès qu'il y a quelque chose qui cloche, ça nous emmerde que vous le remarquiez. Quand on est en France, on peut toujours jouer sur les souvenirs et les mythes, mais quand vous êtes là... On aimerait que vous ne voyiez que le meilleur de nous...

Michel la prend par la taille, ému.

— Tu ne m'as jamais parlé comme ça... Je veux dire de ça... De cette manière...

Zoubida passe sa main sur le visage de son mari avec une grande douceur et fixe tendrement ses yeux comme si c'étaient des fenêtres qui l'aidaient à pénétrer dans son corps pour aller se blottir contre son cœur. Elle murmure :

— Nous avons encore un mois devant nous pour parler des choses que ce pays provoque en moi. Tout ce qu'on évacue vite fait quand on est loin et qui resurgit dès qu'on pose le pied sur le sol algérien... Mais mon pays ranime aussi de très belles choses que j'aimerais partager avec toi.

Attendri, Michel approche son visage de celui de sa femme.

— Embrasse-moi !

Zoubida recule et jette un rapide coup d'œil autour d'elle, puis retourne vers son panier à linge.

— Tu devrais te raser.

Michel se regarde dans le miroir suspendu à un clou près de la fenêtre et passe trois doigts sur son menton. Il s'est rasé hier soir ! Mais si ça peut lui faire plaisir...

Il empoigne le bidon et retourne à la salle de bains. Là, il prend la trousse de toilette posée sur l'étagère, l'ouvre, en sort son matériel de rasage et le dispose sur le lavabo avec une méticulosité qui frise la manie. Il ôte le capuchon en plastique de la bombe de mousse à raser et, juste au moment où il s'apprête à appuyer sur le spray, sa poitrine est traversée par un sirocco brûlant d'amour. Il revient en courant sur le balcon, la bombe à la main.

— Chérie ! Je t'aime !

Zoubida lâche le torchon qu'elle était en train d'accrocher, et se précipite vers lui.

— Mais, ça va pas, non ! Tu es fou, ou quoi ?

— Qu'est-ce qu'il y a ? se défend

Michel d'une toute petite voix, surpris par la violence de sa réaction.

— Arrête de crier comme ça, mes parents vont t'entendre.

— Mais je n'ai pas crié. Et puis, j'ai juste dit « je t'aime ». Ce n'est pas une grossièreté !

— Si ! Non !... Tu dis ce que tu veux, mais pas ça !

— J'ai quand même le droit de t'aimer, non ? clame Michel, éberlué.

Zoubida se penche par-dessus la balustrade pour s'assurer que personne n'a rien entendu. À part le sifflement métallique produit par l'air que l'une des maigres grands-mères propulse à travers ses dents en inox, et le mouvement imperceptible de la patte du chat qui tente de surprendre une mouche téméraire venue se poser sur son museau, rien n'indique qu'il y ait quelque chose de vivant dans les parages. Mais Zoubida connaît son

65

monde. Elle sait très bien que n'importe quel membre de sa famille est capable de simuler une profonde inconscience afin de saisir le moindre prétexte pour une future querelle.

Dans une maison pleine de cousines, de tantes, de belles-mères, de belles-sœurs, frères, oncles et beaux-frères, il vaut mieux engranger des munitions en prévision d'éventuels conflits. Chacun dispose des mines aux endroits opportuns. Il faut toujours savoir où l'on met les pieds.

— Oui, tu peux m'aimer, mais tu n'as pas besoin de le crier sur les toits. Tu le gardes pour toi. Ou alors, tu me le dis tout bas à l'oreille. Et encore, seulement quand on est vraiment seuls. S'ils te voient t'approcher trop près de moi, ça va leur donner des idées.

— Quelles idées ? demande Michel, tentant de comprendre où sa femme veut en venir.

— Eh bien... Heuuu... C'est la Hchouma, quoi ! bredouille Zoubida, qui ne sait plus comment s'en sortir.

— À tes souhaits ! C'est quoi, ça, un microbe ?

— C'est la honte ! Il y a des choses dans notre culture qui ne se font pas en public. Ah, Yemma ! Si mon père me voit t'embrasser... Il me tue !

Michel est abasourdi.

— Attends, mais ça va pas, non ? T'es adulte ! Majeure et vaccinée ! Et mariée !

— Y'a pas de majeur qui tienne ! Chez nous, on travaille, on se marie, on fait des enfants, mais dès qu'on remet les pieds chez nos parents, on redevient des petites filles. On doit respect et obéissance à nos parents, grands-parents, grands frères, oncles, cousins...

— Attends un peu. Embrasser ton mari... Ça n'a rien à voir avec le respect.

Je ne comprends pas, continue Michel, visiblement désemparé.

— Eh bien..., dit sèchement Zoubida, pour nous, le respect, il est là, dans la pudeur. Tu fais ce que tu veux, mais ça ! Walou ! Alors, s'il te plaît, quand on est devant eux, tu ne m'embrasses pas, tu ne me touches pas et surtout, surtout, tu ne me dis pas que tu m'aimes ! Sinon, c'est la catastrophe !

— Mais ça leur fait quoi, de m'entendre dire que je t'aime ?

— Ils vont s'imaginer des choses !

— Quoi, par exemple ?

— Ben, c'est clair, non ?

— Pas du tout !

— Ils vont s'imaginer qu'on couche ensemble, pardi !

— Mais c'est ce qu'on fait ! Et c'est ce qu'ils font eux ! C'est ce que tout le monde fait sur la Terre, jusqu'à preuve du contraire !

— Évidemment ! Mais ici, on fait comme si ça ne se faisait pas ! S'ils nous voient nous caresser, nous embrasser, ou même seulement nous toucher, ils vont imaginer les autres choses qu'on fait quand on est seuls, et ça les mettra mal à l'aise.

— C'est incroyable, dit Michel, complètement sonné par ce qu'il vient d'entendre. Toi, zaâma, comme tu dis, tu as voyagé, tu as vu du monde, tu as fait des études en France, et tu réagis encore comme ça ?

— Oui, mais eux, ils n'ont pas fait leurs études en France. Ils n'ont pas fait d'études du tout.

— Pourtant, ils m'ont bien accueilli. Moi, Français et chrétien. Ton mari ! Ils semblaient même très heureux de me voir.

— Oui, aussi heureux que si le Consulat de France débarquait chez eux.

— Qu'est-ce que tu veux dire ?

— Ils te voient comme un visa. Un visa vivant ! Tu n'as pas vu comment mes frères te regardent ? Ils te dévisagent comme s'ils lisaient sur ton visage les clauses régissant les conditions de séjour des Algériens en France.

— Mais c'est horrible. Ils ont l'air si gentils. C'est ta famille quand même ! Comment peux-tu parler d'eux comme ça ?

— Ah, ah, ah ! Attends... Non, mais, attends... Je plaisantaiiiiis !

— Ouf ! Tu m'as fais peur, chérie !

— S'il te plaît, pendant tout notre séjour ici, ne prononce plus ce mot !

— Quel mot ?

— Le mot « Chérie ».

— Oh, putain !

— Ne dis plus « Putain » non plus !

— Et merde !

— Ne dis plus...

— Oh... Pu... Punaise ! Si je ne

peux pas dire « Putain », « Merde », « Bor-
del », pour ponctuer la conversation,
qu'est-ce qui me reste, alors ?

— Il y a deux mille pages dans le
dictionnaire, qui totalisent environ
75 000 mots ! Tu enlèves ces trois-là, plus
une vingtaine d'autres du même acabit ; il
t'en reste 74 980. Tu as de quoi faire avec
ça, non ?

La jeune femme secoue vigoureusement une serviette pour l'étendre, puis la
repose dans la bassine en plastique. Elle
rentre dans la chambre, se dirige vers une
étagère pleine de livres, et se saisit d'un
gros volume qu'elle rapporte à son mari.

— Tiens, ouvre le dictionnaire au
hasard, et pose ton index sur un mot !
N'importe lequel.

Il lui obéit en exagérant chacun de
ses gestes de façon grotesque.

— J'y suis.

— Lis !

— NYCTALOPE !

— Non, mais ça va pas ? Tu le fais exprès, ou quoi ? Recommence !

— Qu'est-ce qu'il a ce mot ? dit Michel, faussement surpris, qui lit à haute voix en détachant soigneusement les syllabes. NYC...TA...LO...PE. Du grec *Nuktalôps* : qui voit la nuit.

— Tu te vois dire à mon père : Nyctalope ?

— Je ne vois pas ce que...

— Ah, oui ? Regarde donc le mot « lope » !

Il tourne les pages, puis s'arrête et lit :

— Lope ou lopette, en argot, péjoratif : Homosexuel.

— Alors, tu comprends qu'ici « nyctalope » ne veut pas dire « qui voit la nuit » !

— Évidemment, si vous avez l'esprit aussi tordu, je ne peux plus rien dire !

— Ne te fous pas de moi ! Tu m'a très bien comprise. En présence de mes parents, tu ne dis rien.

— Mais je ne vais pas tenir ! Il faut que je réagisse. J'existe, moi. Je ne suis pas un mannequin de cire qu'on pose dans un coin.

— Contente-toi de « Oui », « Ah bon ! » « Oh là là ! » « Eh bien dites donc ! »... La conversation standard belle-famille. Comme je fais chez tes parents.

Subitement, le regard de Michel s'allume. Emporté par son élan amoureux, il saisit sa femme aux épaules.

— Et si on prenait notre courage à quatre mains ?... Ce soir, par exemple, au dîner, quand tout le monde sera réuni, entre le couscous et les loukoums, je te prends dans mes bras et je dis : « Chérie, je t'aime comme un fou ! J'ai envie de toi ! » On se roule une pelle monstrueuse et on brise le tabou une fois pour toutes !

— Et mon père, il te brise la tête une fois pour toutes avec sa canne ! rugit Zoubida en s'arrachant des mains de son mari. Tu es complètement dingue ! Si tu fais un truc pareil, tu déclenches la deuxième guerre d'Algérie ! Sache bien, Michel, que, dans ce pays, tu as le droit d'insulter le gouvernement, de remettre en cause les frontières, de douter de la souveraineté nationale – enfin, pas trop quand même – mais si tu dis à ta femme que tu l'aimes en public, c'est reparti pour les croisades !

— Oh là là ! Quelle exagération ! Je ne te reconnais plus. Où sont tes discours sur la liberté, l'émancipation ? Dire qu'à Paris, ceux qui ne sont pas d'accord avec tes idées « révolutionnaires » peuvent à peine l'ouvrir. On dirait qu'ici tout a fondu comme neige au soleil. Et ce n'est pas une image.

Zoubida soupire et se relâche.

Michel a l'impression de voir ses épaules
retomber au ralenti jusqu'à son bassin.

— Écoute, mon chou... Je sais que
tout cela n'est pas très rationnel. Ce n'est
pas une question d'intellect, ni d'éduca-
tion. Ça nous dépasse. Toutes ces règles,
aussi absurdes qu'elles puissent te paraître,
sont devenues notre seconde nature. Elles
se sont installées en nous à travers les
gènes. Goutte à goutte. Génération après
génération. Il est impossible de remonter
le cours du ruisseau. Chacun les applique
à sa manière, les détourne, les contourne,
ou les trahit, mais toujours en silence.
Seul, on peut disséquer les blocages et
inventer sa propre vie, mais, dès qu'on se
regroupe, le puzzle se recompose et personne n'ose bouger une seule pièce. C'est
l'instinct grégaire, je crois.

Michel secoue la tête pour signifier
qu'il a compris, et que tout ça n'est pas si

grave. Il a toujours été étonné par la fabuleuse capacité qu'a Zoubida de s'adonner à des analyses aussi intuitives. On dirait que l'Orient et l'Occident ont fusionné et trouvé un équilibre parfait dans son esprit, capable de rationaliser de façon quasi mathématique les choses les plus étranges et d'injecter de la sensualité dans les choses les plus cartésiennes. C'est une caractéristique qui l'a frappé lorsqu'ils se sont rencontrés à l'université. Elle était humour et tragédie, eau et feu, ombre et lumière. Elle pouvait passer d'un désir de possession maladif à un détachement soudain incompréhensible. Elle pouvait aussi descendre de son piédestal d'ingénieur en informatique pour se transformer subitement en une vraie lavandière. Il faut dire qu'avant que son père n'achète cette maison, ses parents habitaient la Casbah d'Alger, dans un immeuble où vivaient plusieurs familles que réunissaient des balcons circulaires et une cour commune. Elle avait grandi dans un espace où l'on apprenait vite à se défendre par tous les moyens, dont le plus efficace était sans conteste le verbe assassin. Une fois, chez Tati, pendant les soldes, lorsqu'ils étaient encore amis, il l'avait vue lutter pour un fuseau qu'une cliente voulait lui arracher des mains au moment où elle le sortait du bac. Du grand théâtre. On avait l'impression qu'elle jouait tout le répertoire de Goldoni. Les vendeurs, acheteurs et vigiles qui avaient fait cercle autour d'elle en avaient entendu des vertes et des pas mûres. Elle les faisait passer des larmes au rire, et certaines de ses expressions avaient tétanisé le public par leur audace. C'est là qu'il était tombé fou amoureux d'elle. Il aimait la charge émotive que contenait son âme et cette part de mystère à laquelle il avait fini par admettre qu'il n'accéderait jamais.

Le plus douloureux, c'était d'être impuissant à agir sur « ce bagage mystérieux de la mémoire tourmentée » qu'elle couvait comme un œuf dont elle ne voulait jamais se séparer. Souvent, Michel avait envie de l'aider, mais Zoubida l'engueulait parce que cet îlot était son domaine propre et qu'elle s'en accommodait comme un infirme s'accommode de son handicap.

L'amour et l'humour ont toujours dominé leur relation. Pour mieux aimer sa femme, Michel a lu des tas de livres afin de bien comprendre l'histoire de son pays et de son peuple. Il a acheté des disques de musique algérienne, et il lui arrive de chanter un refrain de Cheikh Hammada avec un accent et des fluctuations de voix qui la font hurler de rire. Zoubida aime à la folie son « gros nounours gaulois poilu et râleur qui pose toujours trop de questions ». Ils se sont mariés il y a quatre ans, à la mairie du Ve arrondissement. Michel voulait absolument aller en Algérie rencontrer les parents de sa femme, mais Zoubida a sans cesse reculé le voyage en prétextant l'insécurité ambiante. Elle a fini par céder à la pression de son mari qui ne cessait de répéter qu'elle ne pouvait pas indéfiniment « repousser le problème », si c'en était un. Alors, elle a fini par se décider à prendre le taureau par les cornes. Même si c'est un sacré taureau.

— Bon, je vais m'entraîner à la pratique de la sieste, puisque c'est une affaire culturelle, dit Michel en souriant.

Il porte ses doigts à ses lèvres et souffle un baiser invisible vers sa femme. Cette dernière sourit amoureusement et lui renvoie un baiser par la même voie.

Michel regagne la chambre, ferme les volets et enlève son pantalon. Il s'assoit sur le lit, mais se ravise soudain et plonge sous le sommier pour en tirer une grosse valise. Il l'ouvre et commence à fouiller dans les affaires. Après quelques minutes de recherches infructueuses, il entrouvre les volets, passe la tête et souffle à sa femme :

— Dis-moi, chér... Heu... Zoubida ! La salade de ce midi m'a laissé un petit creux mâtiné d'un coup de nostalgie. Tu l'as caché où, le sauciflard ?

— Le quoi ?

— Le saucisson !

— Malheureux ! Ne prononce jamais ce mot dans un pays musulman ! Si ma famille découvre qu'il y a un morceau de halouf dans la maison, c'est la Saint-Barthélemy à Bab-el-Oued !

Michel est anéanti.

— Oh là là ! Les relations franco-algériennes ! C'est d'un compliquééééé !

Tout à coup, il s'arrête net et jette un regard effaré à sa femme, qui accroche un splendide soutien-gorge en dentelle, taille 95C, sur la corde à linge.

— Qu'est-ce que c'est que ça ? s'étrangle-t-il.

— C'est mon soutif, dit Zoubida, étonnée. Tu ne l'as jamais vu ?

— Enlève-moi ça tout de suite, malheureuse !

— Pourquoi ?

— Ils vont s'imaginer que tu as des seins !

En apprenant, peut-être par le télé-phone arabe, que j'écrivais ce livre, ma mère m'a envoyé de toute urgence un fax d'Alger. C'est avec une certaine fierté que je vous livre ce document, d'une valeur inestimable puisqu'il vous permettra de préparer le meilleur couscous du monde.

Mon fils,

Il paraît que tu veux expliquer aux Français comment on fait le couscous chez nous. Laisse-moi rire ! Vous, les hommes, vous n'y connaissez rien. Vous êtes tout juste capables de rentrer à la maison avec les copains en demandant « *Alors, il est prêt, ce couscous ?* » et d'engloutir en une heure ce qu'il nous a fallu, nous les femmes, une journée entière à préparer.

Alors, pour ne pas ridiculiser ton pays, et ta pauvre mère, fais donc imprimer ces deux recettes à la fin de ton livre. Pour une fois, les gens auront fait un achat utile !

Je t'embrasse très fort,

Ta maman.

Couscous poulet aux légumes secs

Cuisson : 40 minutes.
Ingrédients pour 6 personnes.
— *600 g de semoule,*
— *1 gros poulet,*
— *2 oignons (un gros et un petit),*
— *2 bols de légumes secs (lentilles et haricots),*
— *2 à 3 morceaux de viande séchée (Achedluh),*
— *Poivre noir, gros sel, cumin, huile d'arachide et huile d'olive,*
— *des pois chiches, éventuellement.*

Bien nettoyer le poulet, enlever les poumons, puis le frotter soigneusement avec un mélange constitué de :
— 1 cuillerée à soupe de cumin,
— 2 cuillerées à soupe de gros sel,
— 1 cuillerée à café de poivre noir,
— 1 petit oignon râpé.

Comment réussir un bon petit couscous

Le brider, puis le mettre au réfrigérateur et le laisser s'imprégner deux ou trois heures de cette préparation.

Remplir la grande cocotte du couscoussier avec 2 litres d'eau environ et y placer :
— les légumes secs,
— le gros oignon coupé en petits cubes,
— 2 cuillerées à café de poivre noir,
— 1 cuillerée à café de cumin,
— 2 cuillerées à soupe d'huile d'arachide,
— la viande séchée préalablement lavée pour la dessaler,
— des pois chiches trempés.

NE PAS SALER !
Mettre à cuire à feu moyen.

À mi-cuisson des légumes secs (20 mn), ajouter le poulet et laisser cuire pendant encore 20 mn.

Vérifier l'assaisonnement et la quantité de bouillon, qui doit être importante. Sinon, ajouter de l'eau tiède. Verser une cuillerée à soupe d'huile d'olive afin que cette sauce soit bien blanche.

Juste avant d'éteindre le feu, ajouter une cuillerée à café de cumin et une pincée de poivre noir dans la sauce pour en raviver le goût.

Couscous sauce rouge

Cuisson : 40 minutes.
Ingrédients pour 8 personnes :
— *800 g de semoule,*
— *1 kilo de viande (collier d'agneau de préférence),*
— *3 oignons coupés en petits cubes,*
— *3 grosses tomates pelées et coupées en cubes,*
— *500 g de haricots verts,*
— *300 g de courgettes,*
— *sel, poivre, cannelle, huile, beurre.*

Mettre 1 cuillerée à soupe de beurre et 1 cuille-rée à soupe d'huile d'arachide dans la grande cocotte. Faire revenir la viande à feu vif pendant environ 8 mn. Tout en remuant, ajouter la moitié d'un oignon. Baisser le feu pour le faire suer et ajouter la moitié d'une tomate. Saler, poivrer et laisser cuire à petit feu, puis ajouter 1 cuillerée à café de cannelle.

Nettoyer les haricots en les laissant tremper dans l'eau durant l'opération afin de leur faire perdre leur âcreté. Éventuellement, les faire blanchir et jeter l'eau.

Couper les courgettes en gros cubes réguliers ou en rondelles.

À mi-cuisson de la viande (20 mn), ajouter les haricots, les courgettes, puis les oignons et les tomates restantes. Compléter l'eau, si nécessaire, pour que les légumes soient recouverts, et poursuivre la cuisson en veillant à ce que les légumes restent fermes.

Vers la fin, poivrer, mettre une pincée de cannelle, vérifier l'assaisonnement et soulever légèrement le couvercle pour laisser la vapeur s'échapper.

La semoule

C'est elle qui permet de réussir un très bon couscous. Sa préparation, qui est avant tout une question de sensation, demande une bonne expérience. C'est ce qu'on appelle le « tour de main ».

Disposer la semoule dans un plat et la mouiller peu à peu d'eau froide, tout en la remuant régulièrement avec les doigts, pour éviter que les grains ne collent. Renouveler l'opération toutes les deux ou trois minutes pendant une vingtaine de minutes, jusqu'à ce que la semoule soit bien imprégnée d'eau, MAIS PAS TROP !

À mi-cuisson des légumes secs, pour le couscous poulet — ou de la viande, pour le couscous sauce rouge — verser la semoule dans la deuxième cocotte du couscoussier et placer celle-ci sur la première, en calfeutrant l'espace entre les deux à l'aide d'un chiffon.

Lorsque la vapeur passe correctement à travers les grains, laisser cuire environ 3 à 4 mn, saler, puis enlever la cocotte et remettre la semoule dans son plat d'origine. Arroser à nouveau d'eau froide, petit à petit, en séparant bien les grains. (Pour ceux qui ont les doigts sensibles à la chaleur, se servir d'une cuillère en bois.) Couvrir d'un linge propre et laisser reposer en posant la main sur le linge. Laisser agir la magie de la « main de fatma ».

Vers la fin de la cuisson des viandes, remettre la semoule dans la cocotte, et recommencer l'opération en prenant toujours garde à ce qu'elle ne se charge pas trop en eau.

Quand la cuisson est terminée, malaxer les grains avec un peu de beurre ou d'huile d'olive pour bien les séparer.

*Ce volume a été composé
par Nord Compo*

*et achevé d'imprimer en janvier 2018
sur les presses de l'Imprimerie Jouve à Mayenne*

Dépôt légal : janvier 2018
N° d'édition : 12– N° d'impression : 2677696T
Imprimé en France